An Vaimpír

Enric Lluch / Fernando Falcone

Dhúisigh Ladaslás agus bhí
ocras air.
Ach bhí a chuid fiacla chomh
maol sin nach raibh sé in ann
plaic a bhaint as muineál
le fada an lá.
'Rachaidh mé go dtí an
fiaclóir,' a dúirt sé.

Chuaigh sé go stáisiún na nGardaí.
'Cá bhfaighidh mé fiaclóir?' a dúirt sé.
'Táim ag iarraidh faobhar a chur ar mo chuid starrfhiacla.'
Ach shíl an Garda gur ag magadh a bhí sé.

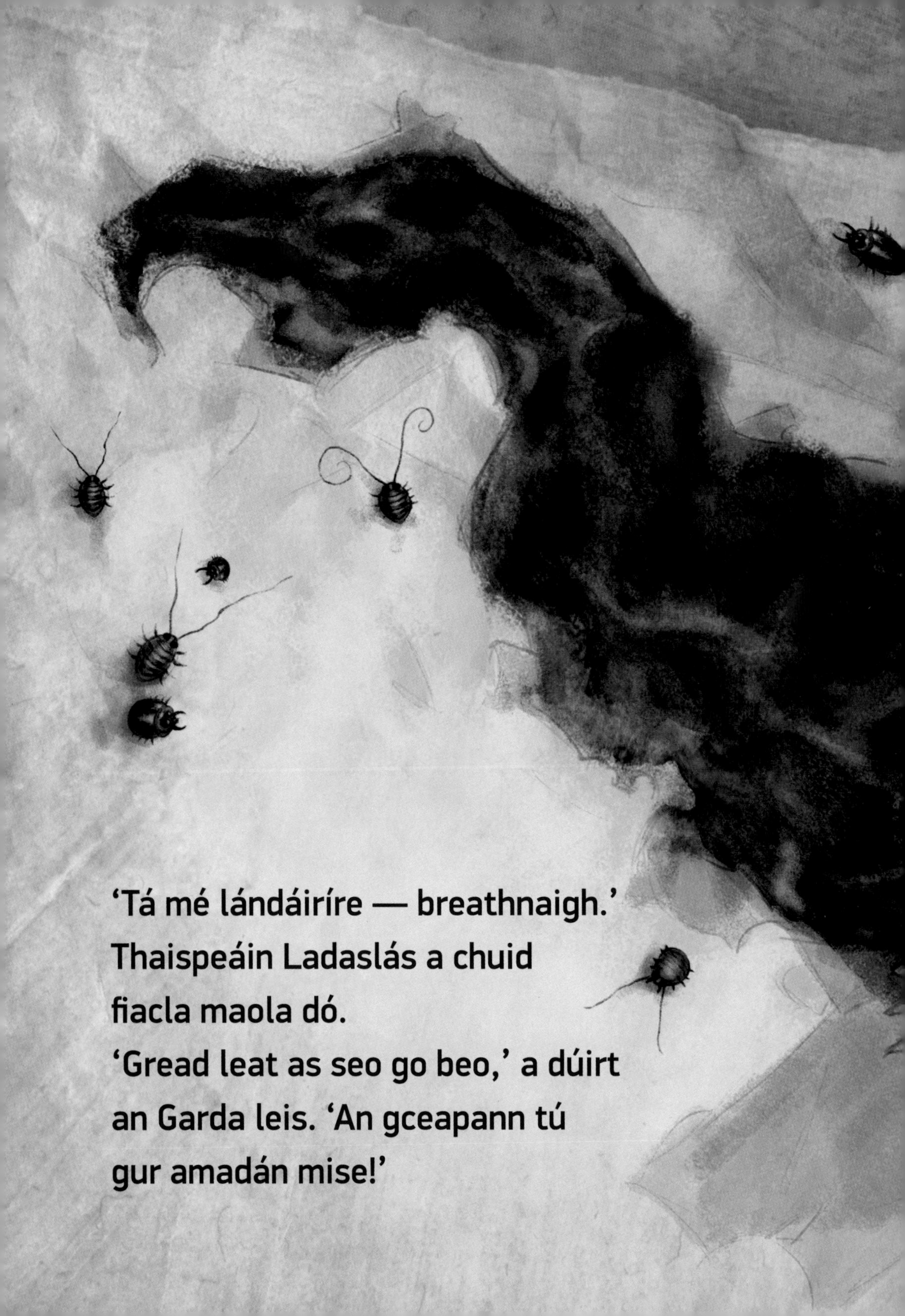

‘Tá mé lándáiríre — breathnaigh.’
Thaispeáin Ladaslás a chuid
fiacla maola dó.
‘Gread leat as seo go beo,’ a dúirt
an Garda leis. ‘An gceapann tú
gur amadán mise!’

Labhair sé le fear ar ghluaisrothar.
'Táimse ag dul chuig an ospidéal,' a dúirt an fear.
Bhreathnaigh Ladaslás ar a mhuineál. 'Neam-neam!' a dúirt sé leis féin. 'Tá ocras ag teacht orm.'
Rinne sé sciathán leathair de féin, agus d'eitil sé ina dhiaidh.

SEOMRA FEITHIMH

Bhí sé an-gheal istigh san ospidéal, agus bhí fear cantalach ag obair mar fháilteoir ann.

'Ba mhaith liom faobhar a chur ar mo chuid fiacla,' a dúirt Ladaslás leis.

'Fan anseo go gcuirfear fios ort,' a dúirt an fáilteoir go cantalach.

‘A Mhama!’ a bhéic cailín amháin. ‘Vaimpír!’
‘Níl a leithéid de rud ann agus vaimpír,’ a dúirt an mháthair.
Chuir sé seo cantal ar Ladaslás. Thaispeáin sé a chuid fiacla don chailín.

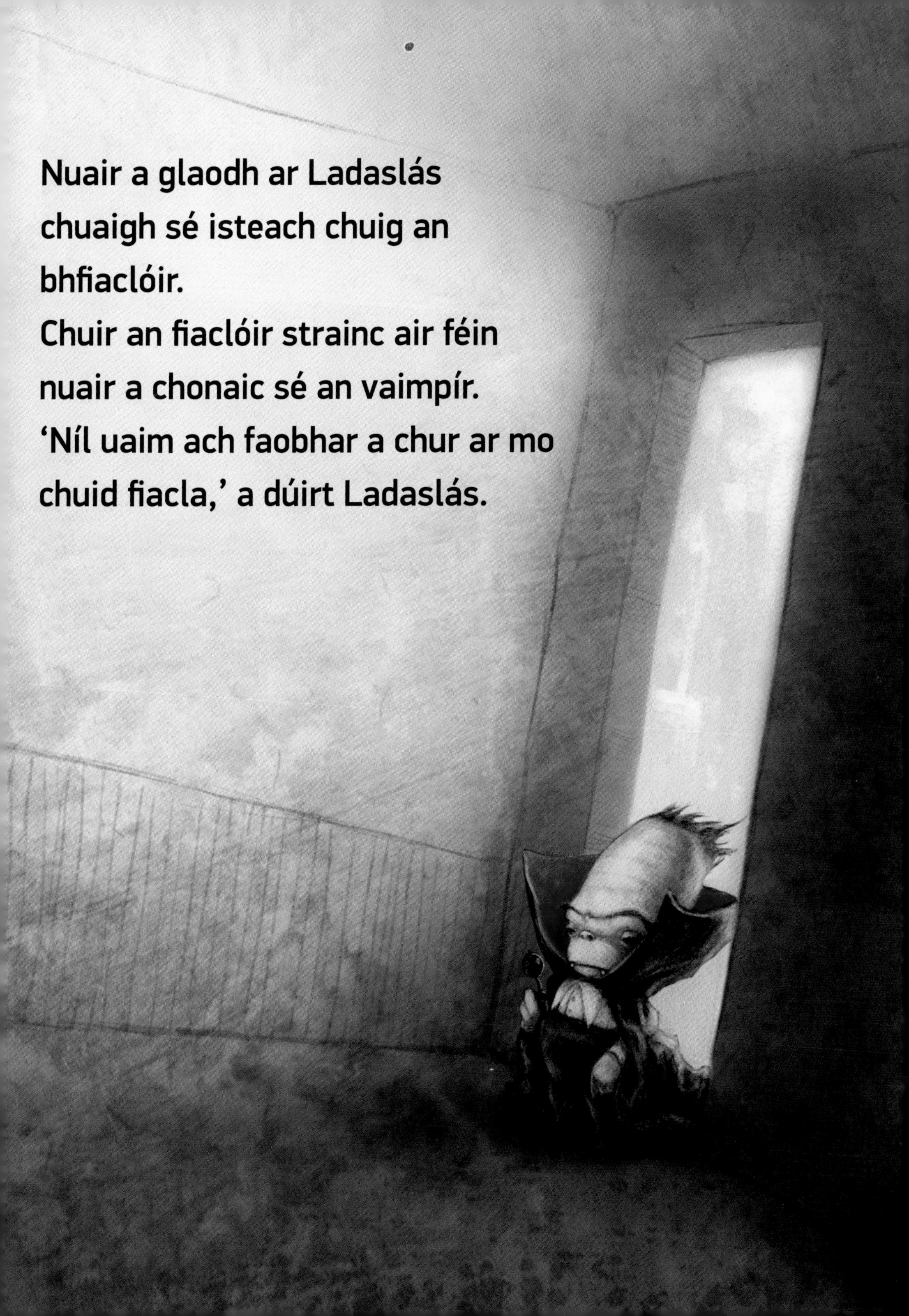

Nuair a glaodh ar Ladaslás
chuaigh sé isteach chuig an
bhfiaclóir.
Chuir an fiaclóir strainc air féin
nuair a chonaic sé an vaimpír.
'Níl uaim ach faobhar a chur ar mo
chuid fiacla,' a dúirt Ladaslás.

Ach bhí an fiaclóir ag iarraidh a chuid fiacla ar fad a tharraingt.
Ní raibh Ladaslás sásta leis sin.
Go brónach, rinne sé sciathán leathair de féin arís, agus d’eitil sé leis.

Ar deireadh, bhí an oiread ocrais air gur ordaigh sé píotsa mór millteach. Bhí fonn air plaic a bhaint as an mbuachaill a thug an píotsa chuige. Ach d’imigh an buachaill de rith.

Nuair a bhí a phíotsa ite aige
tháinig fear chuig an doras.
'Is stiúrthóir scannáin mé agus
tá obair agam do vaimpír,' a dúirt
sé le Ladaslás.
Ghlac Ladaslás leis an bpost mar
aisteoir.

Ní raibh fonn ar Ladaslás a chuid línte a fhoghlaim.
Bhí sé ag breathnú ar mhuineál an bhan-aisteora.
‘Tá a muineál róthanaí,’ a dúirt sé leis féin, ‘agus d’ith mé an oiread sin den phíotsa nach bhfuil ocras orm níos mó!’

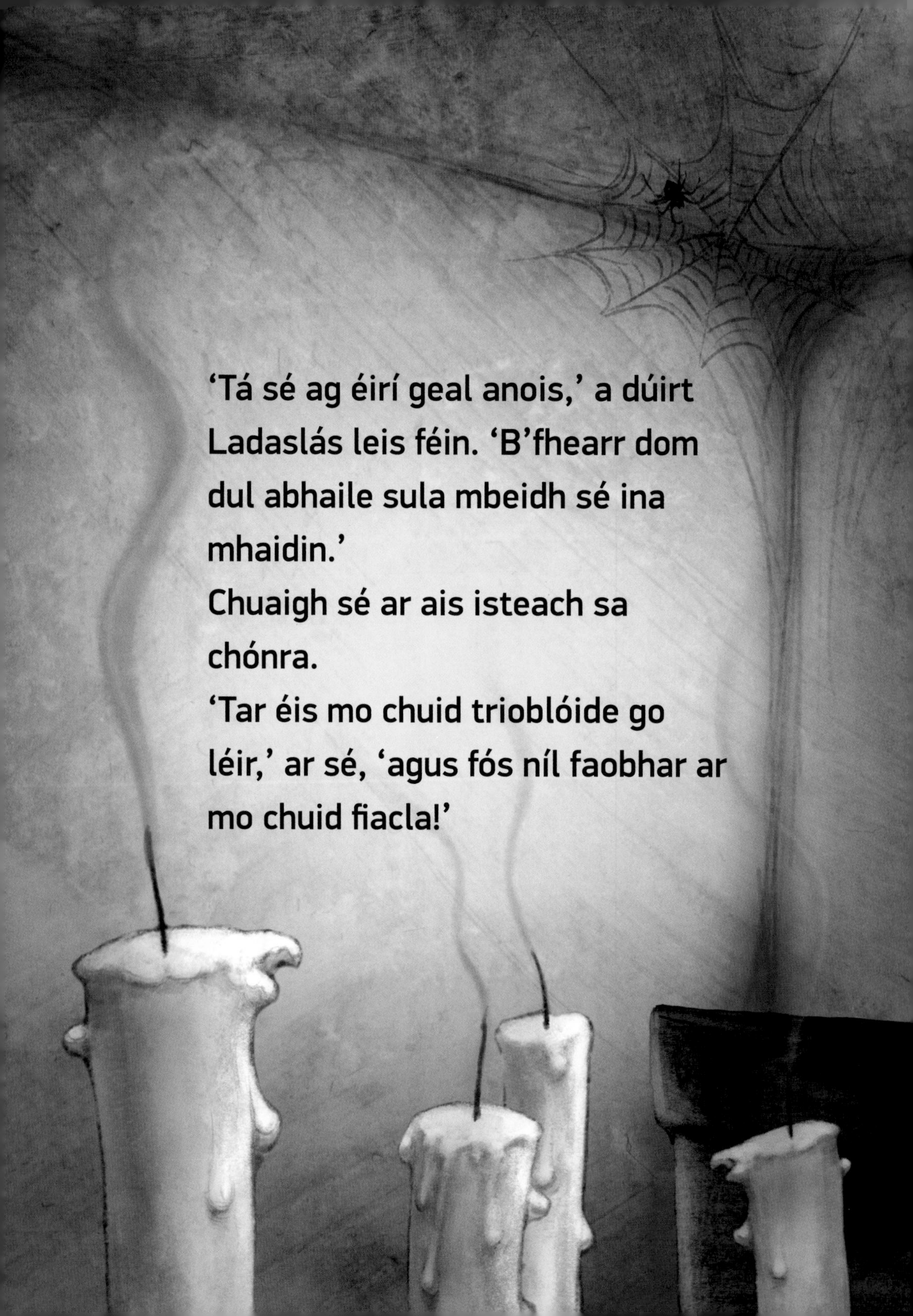

'Tá sé ag éirí geal anois,' a dúirt Ladaslás leis féin. 'B'fhearr dom dul abhaile sula mbeidh sé ina mhaidin.'
Chuaigh sé ar ais isteach sa chónra.
'Tar éis mo chuid trioblóide go léir,' ar sé, 'agus fós níl faobhar ar mo chuid fiacla!'

Cófra lán
ARRACHTAÍ

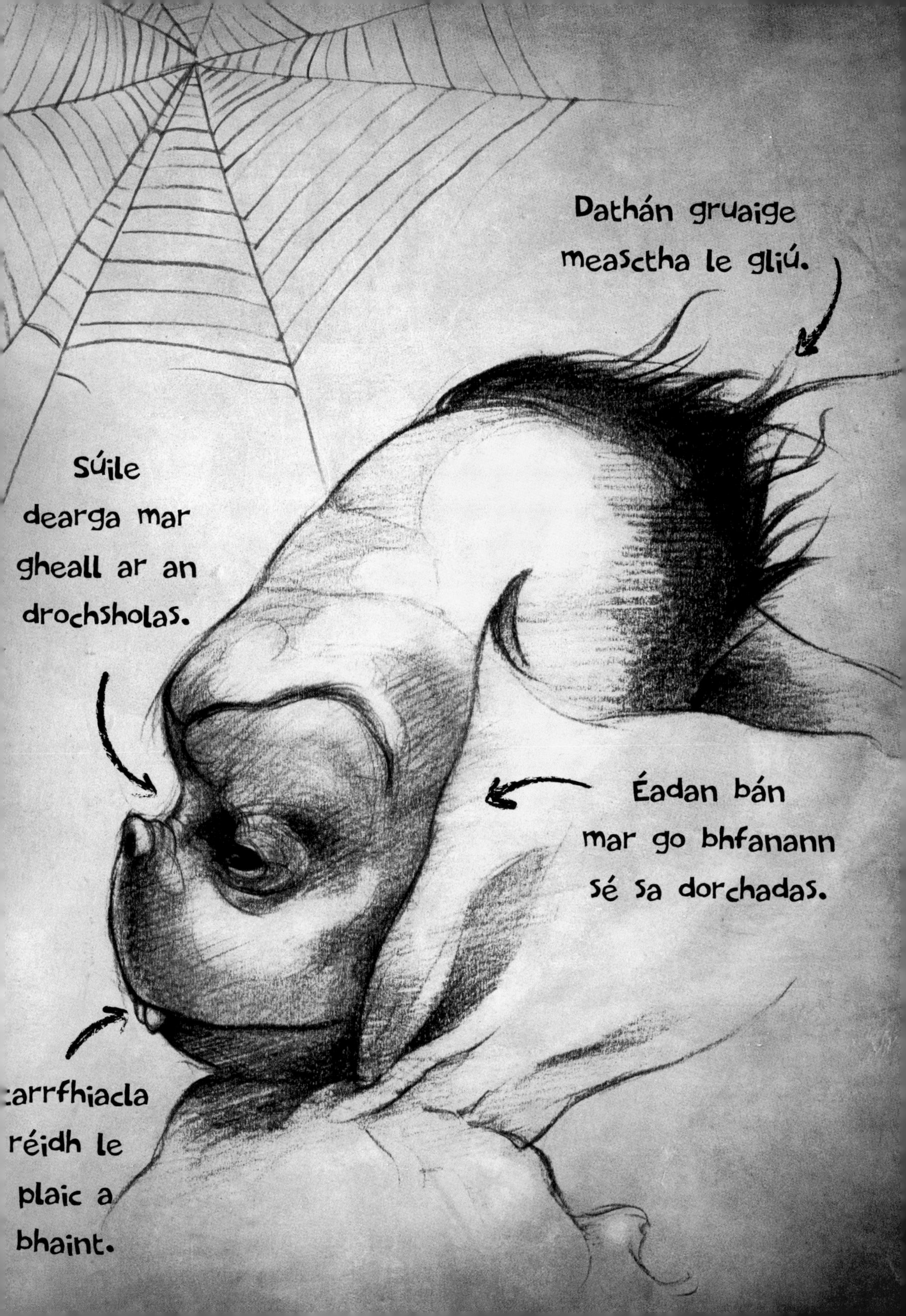
Dathán gruaige meascctha le gliú.
Súile dearga mar gheall ar an drochsholas.
Éadan bán mar go bhfanann sé sa dorchadas.
arrfhiacla réidh le plaic a bhaint.

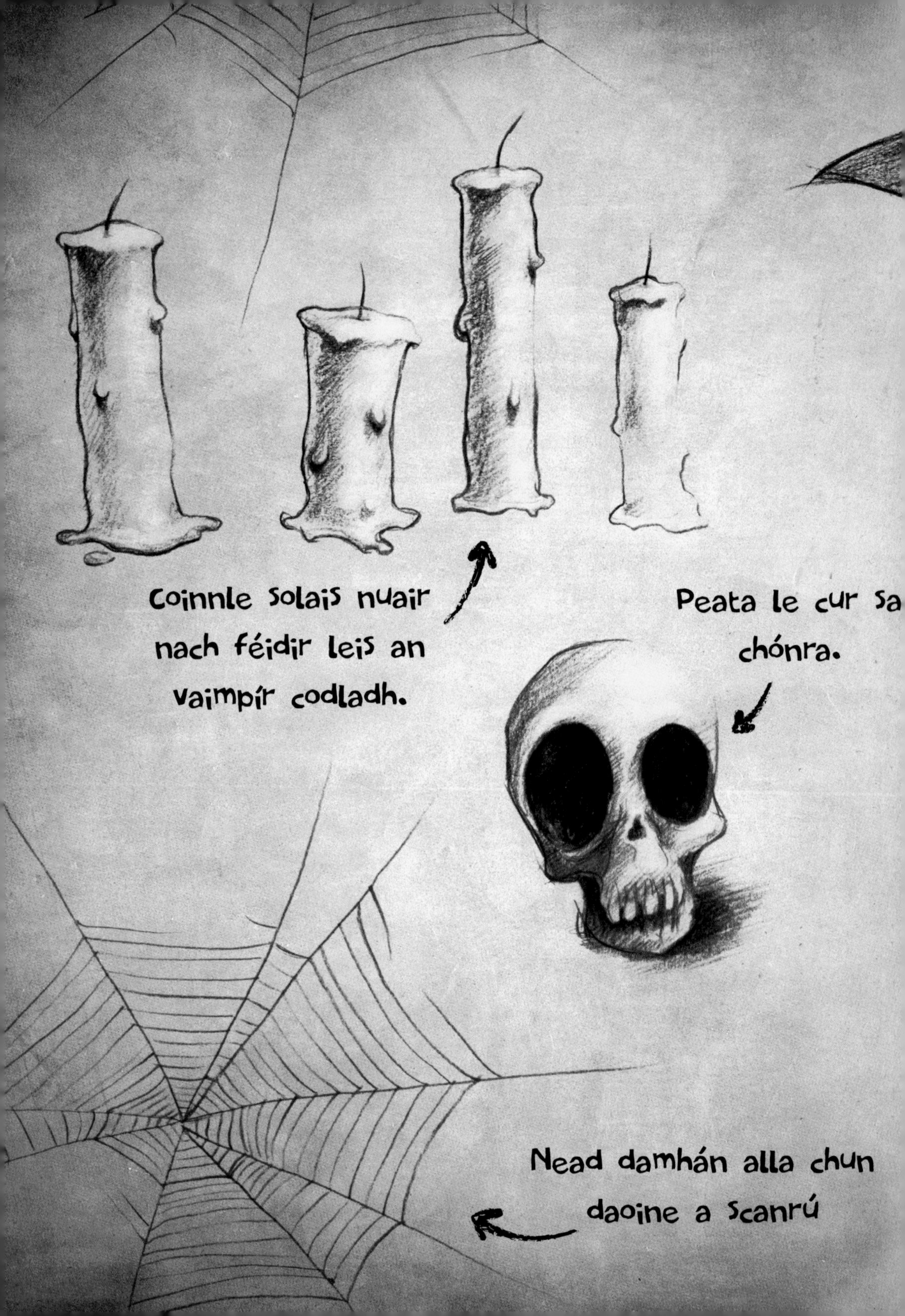
Coinnle solais nuair nach féidir leis an vaimpír codladh.
Peata le cur sa chónra.
Nead damhán alla chun daoine a scanrú

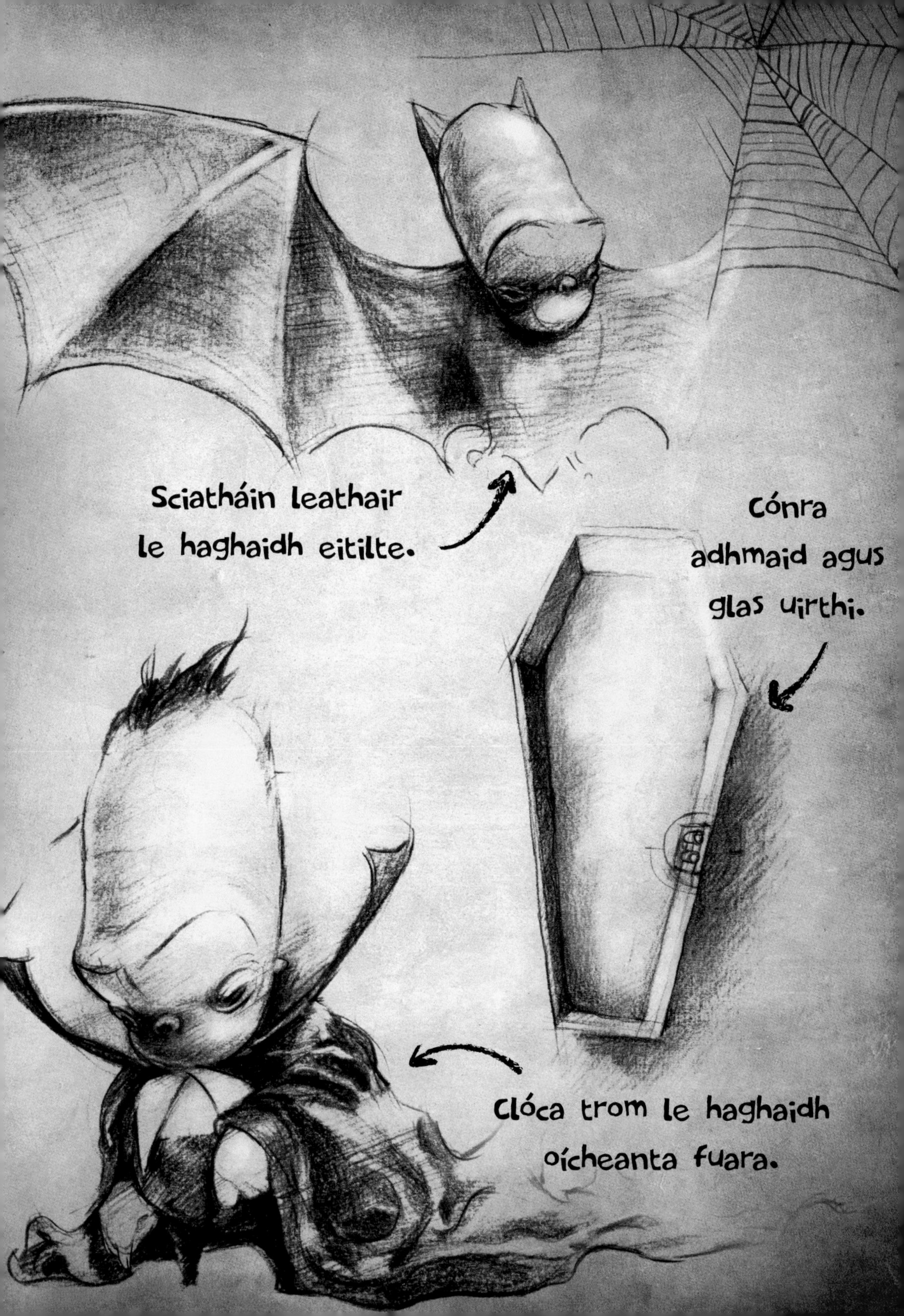
Sciatháin leathair
le haghaidh eitilte.
Cónra
adhmaid agus
glas uirthi.
Clóca trom le haghaidh
oícheanta fuara.

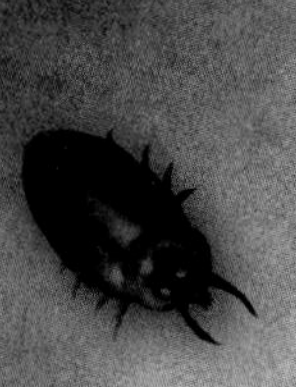
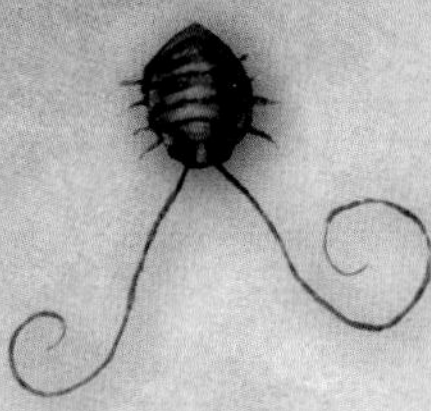
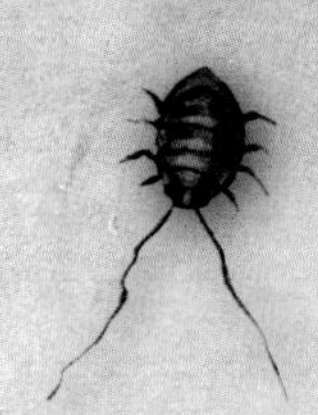

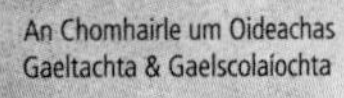

Faigheann Leabhar Breac cúnamh airgid ó Fhoras na Gaeilge

Foras na Gaeilge

Faigheann Leabhar Breac cúnamh airgid ón gComhairle Ealaíon

Teideal i gCatalóinis: *El vampir*
© Enric Lluch Girbés, 2010
Leagan Gaeilge © Leabhar Breac, 2014
www.leabharbreac.com
© Ealaín: Fernando Falcone, 2010
© Edicions Bromera
Polígon Industrial 1
46600 Alzira (An Spáinn)
www.bromera.com/monsters
Dearadh: Pere Fuster
Priontáil: PSG
ISBN: 978-1-909907-45-4